ÉDIKA
KNOCK OUT !

JE LEUR AVAIS DIT QUE LE TITRE DE CET HALBOME NE VEUT RIEN DIRE. MOI LE TITRE QUE JE VOULAIS C'ÉTAIT "BOUILLABAISSE UN PEU L'ABAT-JOUR". QUOI "KNOCK OUT" ? ON EST EN FRANCE MERDE

JE LEUR AVAIS DIT POURTANT QUE "BOUILLABAISSE UN PEU L'ABAT-JOUR" C'ÉTAIT MIEUX MEEERDE JE LEUR AVAIS DIIIIIT.

MAIS POURQUOI Y'A PAS UN DESSIN SUR CETTE PAGE TOUTE BLANCHE ? PERQUÉ ?

ET POURQUOI PAS "BOUILLABAISSE UN PEU L'ABAT-JOUR" ? HEIN ? POURQUOI PAS ?

NON, MOI JE TROUVE QUE "BOUILLABAISSE UN PEU L'ABAT-JOUR" ÇA A QUELQUE CHOSE DE... COMMENT DIRE... DE... ENFIN VOUS...

C'EST BIEN "BOUILLABAISSE UN PEU L'ABAT-JOUR"...

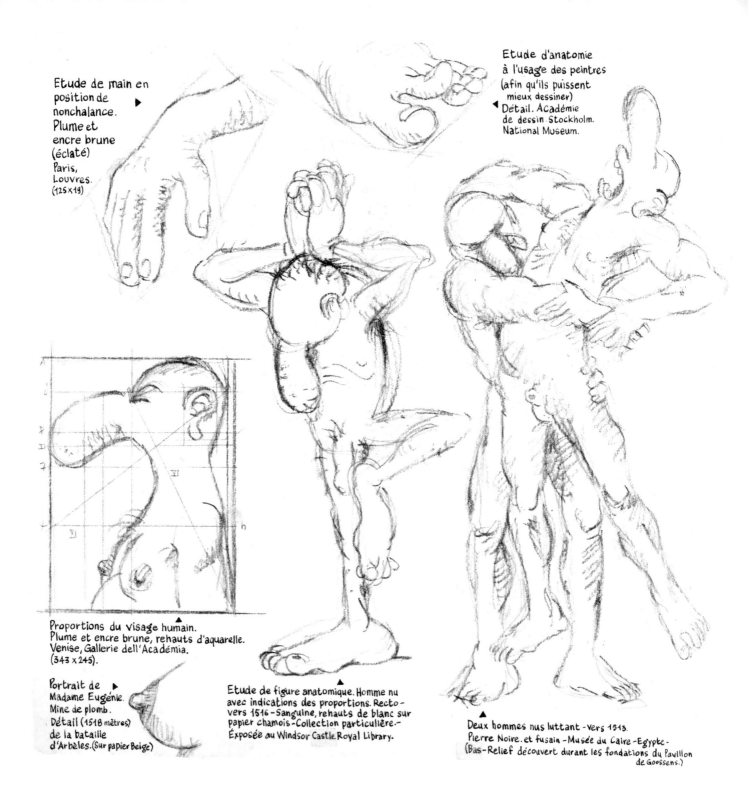

Etude de main en position de nonchalance. Plume et encre brune (éclaté) Paris, Louvres. (125 x 19)

Etude d'anatomie à l'usage des peintres (afin qu'ils puissent mieux dessiner) Détail. Académie de dessin. Stockholm. National Museum.

Proportions du visage humain. Plume et encre brune, rehauts d'aquarelle. Venise, Gallerie dell'Académia. (343 x 245).

Portrait de Madame Eugénie. Mine de plomb. Détail (1518 mètres) de la bataille d'Arbèles. (Sur papier Beige)

Etude de figure anatomique. Homme nu avec indications des proportions. Recto-vers 1516 - Sanguine, rehauts de blanc sur papier chamois - Collection particulière.- Exposée au Windsor Castle. Royal Library.

Deux hommes nus luttant - Vers 1513. Pierre Noire. et fusain - Musée du Caire - Egypte - (Bas-Relief découvert durant les fondations du Pavillon de Goossens.)

SOMMAIRE

© EDIKA-AUDIE

Les Grandes Vacances

7

10

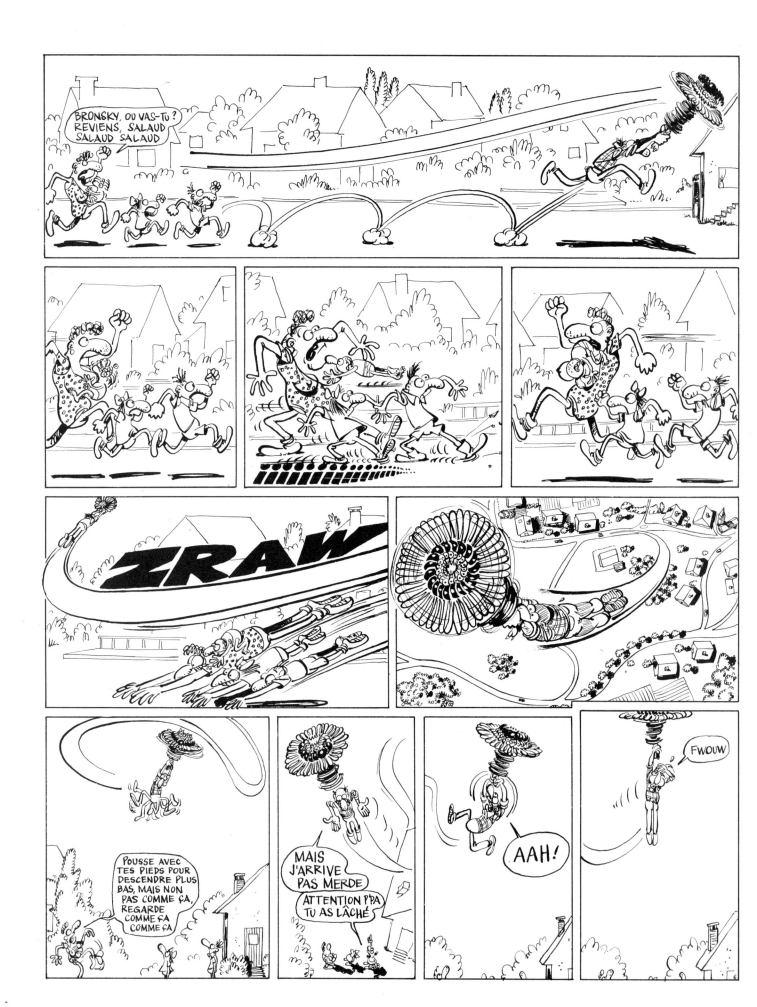

RATAPAT TARAP TARPAT

?

RATP

YAY! IL S'ARRÊTE

FFF... FF..

FFF

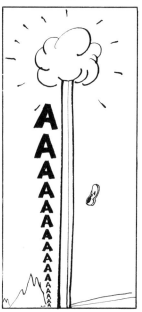

AAAAAAAAAAAA

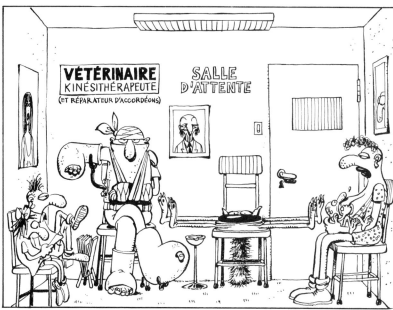

VÉTÉRINAIRE KINÉSITHÉRAPEUTE (ET RÉPARATEUR D'ACCORDÉONS)

SALLE D'ATTENTE

ALORS DOCTEUR, C'EST GRAVE?

NON, PAS VRAIMENT, MAIS IL LUI FAUDRA AU MOINS QUINZE JOURS DE MASSAGES ET DE RÉÉDUCATION

AH MOI JE NE PARS PAS SANS CLARK GAYBEUL

MAIS TAIS-TOI TAIS-TOI

DIS-DONC BRONSKY, TU NE TROUVES PAS QUE C'EST SYMPA DE LA PART DU VÉTOCHE DE NOUS LAISSER CAMPER QUINZE JOURS DANS SON JARDIN?

VÉTÉRINAIRE KINÉSITHÉRAPEUTE

BOAF, T'APPELLES ÇA UN JARDIN? ET D'ABORD MOI JE SAIS POURQUOI IL A ACCEPTÉ, C'EST PASSQU'IL A VU TES SEINS, VOILA POURQUOI

QUOI?! MAIS T'ES FOU OU QUOI!

PAPA, JE VEUX CHIER

TAIS-TOI FILS DE CON

Édika 4.85

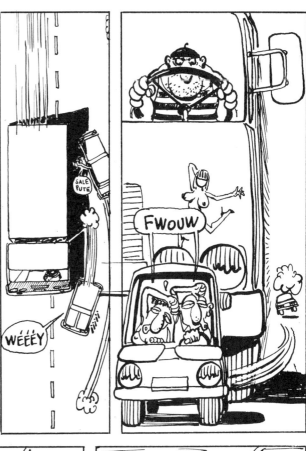

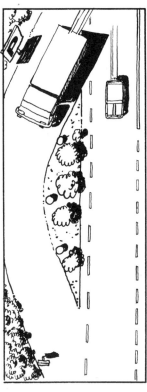
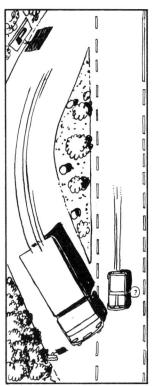

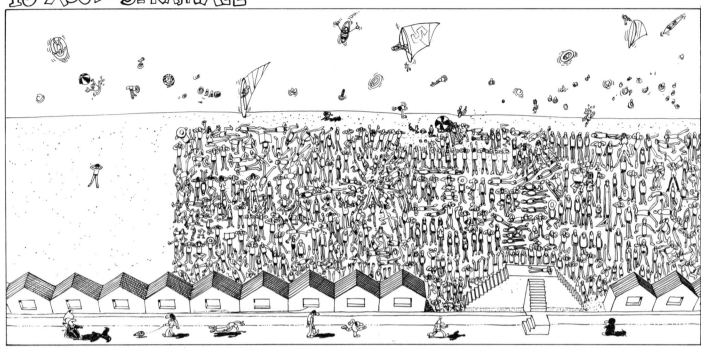

ATTENTION, J'ENVOIE UN DERNIER *COUP DE MON RAYON GAMMA À PILES* QUI DURENT PLUS LONGTEMPS, DJIIIIII... DZJIIIII

ET VOILAAA, ÇA Y ÉÉÉÉ... SUPER GOLDOHULK 2000-X BÉMOL EST TOMBÉ DANS LES SABLES MOUVANTS IL EST COMPLÈTEMENT ENTERRÉ JUSQU'AU COU ET IL PEUT PLUS BOUGER

NÉMASCOPE EST LE PLUS FORT

ÉÉH OUI ET VOILAAA WAHA HA HA HA !! JE SUIS PRIS AU PIÉÉÈGE QUELLE HISTOIIIRE

ET ALORS ATTENTION ♪ ♫ SUPER GOLDOHULK 2000-X BÉMOL SI TU BOUGES D'UN SEUL MILLIMÈTRE, JE T'ENVOIE ♫ DES FUSÉES QUE JE JETTE ♫ SUR TOIYEUUU PALALAAA

C'EST MOI NÉMASCOPE LE PLUS FORT

OH OUI OH OUI WAHAHA HAHAHA

VIVE NÉMASCOPE !

MOI JE VAIS DANS LA GALAXIE LA PLUS LOIN DU MONDE POUR RECHARGER MES BATTERIES ET JE REVIENS DANS NEUF CENT MILLIARDS DE SIÈCLES !

FILS DE CON...

EXCUSEZ-MOI MONSIEUR LA PLACE EST LIBRE ?

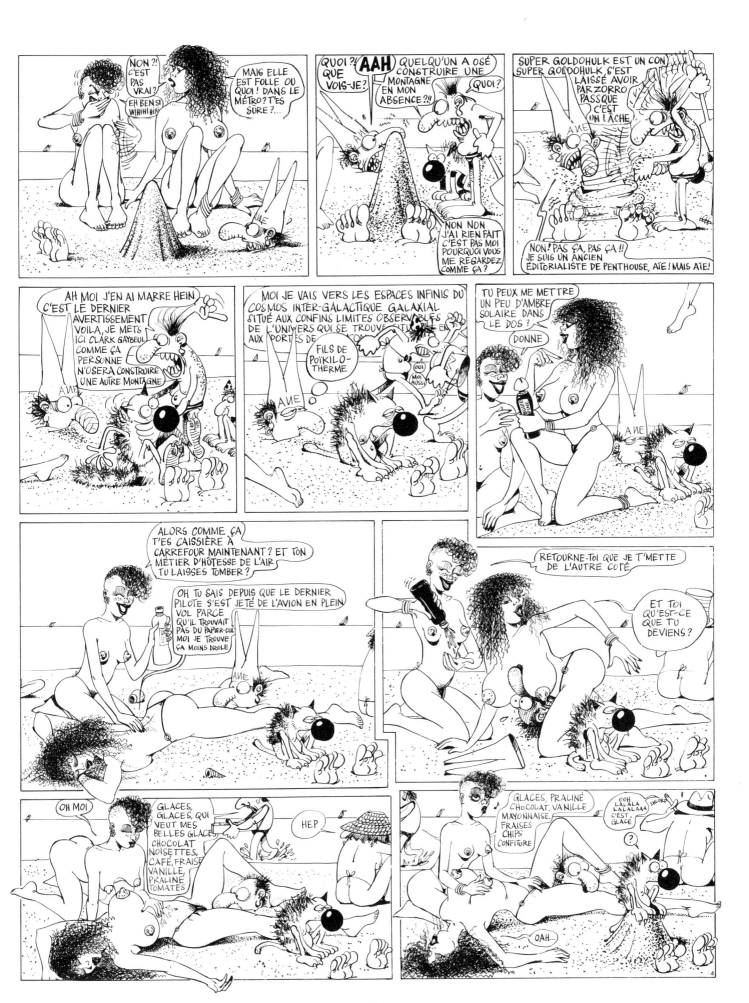

21

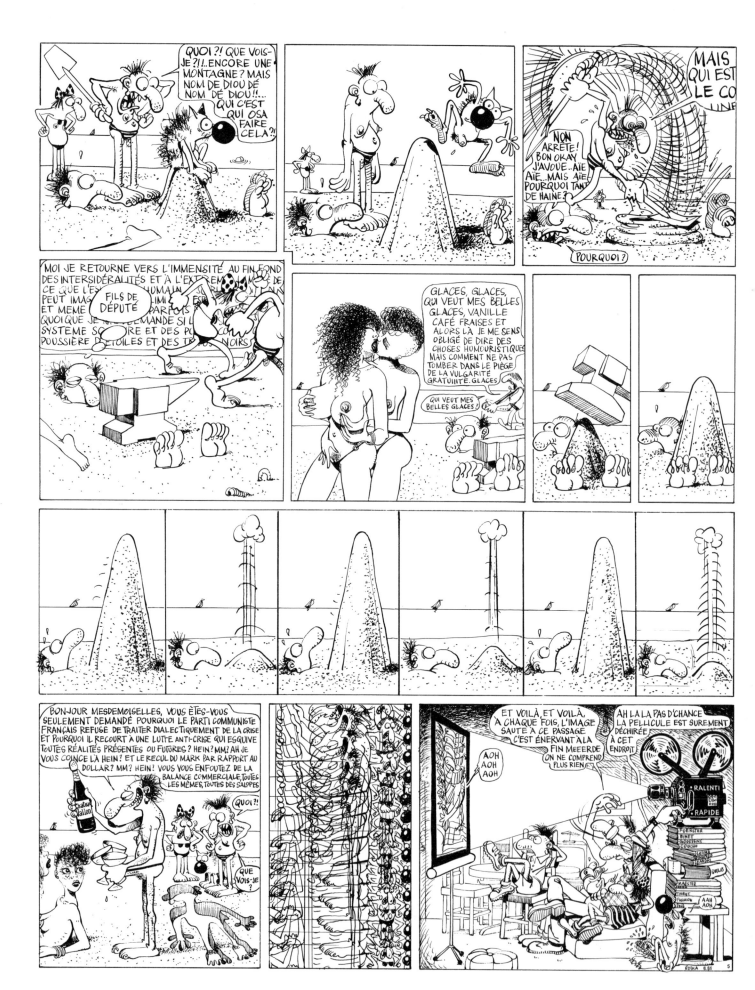

UN AMANT ANTIPATHIQUE

CHAAA!: DÉRIVÉ D'ATCHOUM. [n.m. [prononcer TCHAH] ou [SBOÏNG] Veut dire aussi: Établir un pont sur un navire. Syn.:Pierre ponce, Orgueil, Outrecuidance, immigré.

ONZE MOIS PLUS TARD, HONORÉ DE LA HUJMUCNUSSE EST RELACHÉ APRÈS ONZE MOIS DE PRISON. IL EST DONC RELACHÉ. PARCE QUE SA PEINE ÉTAIT DE ONZE MOIS, ALORS APRÈS QUE CETTE PÉRIODE DE ONZE MOIS FÛT PASSÉE, IL EST RELACHÉ CAR IL A PURGÉ SA PEINE EN PRISON, IL EST DONC RELACHÉ APRÈS ONZE MOIS DE PRISON QU'IL A PASSÉS EN TÔLE. DONC, ONZE MOIS PLUS TARD.

NON NON ARRÊTEZ! BON OKAY J'AVOUE TOUT WAHHAHAA MAIS PUISQUE JE VOUS DIS QUE J'AVOUE

JE PEUX VOIR VOTRE PANCRÉAS? WAAH...VOTRE VÉSICULE BILIAIRE? WAAH...VOTRE PETIT ZYGOMATIQUE WAAH- VOTRE EXTENSEUR PROPRE DU GROS ORTEIL WAAH

YAAA

NON NON

VOILA

BEN OUI

WAAH...

MAIS ON SE LES GÈLE ICI IL N'Y A PAS DE CHAUFFAGE AU MAZOUT À AIR PULSÉ?

J'EXIGE DU CHAUFFAGE À MAZOUT À AIR PULSÉ!

JE PEUX VOIR VOTRE CLITWAAH

AÏE AÏE MAIS DOUCEMENT VOUS ME SCIEZ L'OS DE MON PIED!

BON OKAY J'AVOUE

ON MANGE UNE PIZZA?

ZROKO ZROKO ZROKO

C'EST TOUT CE QUE VOUS PRENEZ MONSIEUR? UN PAIN?

COMMENT?

NON JE DISAIS C'EST LE SEUL ARTICLE QUE VOUS PRENEZ? BEN OUI POURQUOI?

NON C'EST QUE

EST-CE QUE VOUS VENDEZ PAR EXEMPLE DES GODEMICHETS AVEC BOUTON INCORPORÉ POUR ÉJACULATION DE SPERME À DOUBLE VITESSE DE PRESSION?

carrefour

AAH NON MONSIEUR JE FAIS PAS CET ARTICLE

AH VOUS VOYEZ?

AHAAA JE VOUS AVAIS DIS.. HEH EH BEN VOUS VOYEZ? QU'EST-CE QUE JE VOUS AVAIS DiiiT? EH BEN VOILA... NON MAIS C'EST QUE HEH

VRAIMENT JÉRÔME, JE NE COMPRENDS PAS VOTRE REFUS DE MONTER BOIRE UN COUP DANS MON STUDIO MEUBLÉ, VOUS VERREZ JE SERAI SAGE, VOUS N'AVEZ AUCUNE RAISON SÉRIEUSE D'AVOIR PEUR DE MOI

CE N'EST PAS DE VOUS QUE J'AI PEUR HONORÉ, MAIS DE MOI, VOYEZ-VOUS MON GARÇON, LE JOUR OÙ JE M'APERÇUS DE L'ATTIRANCE PHYSIQUE GRANDISSANTE QUE J'AVAIS POUR VOTRE NUQUE, DEPUIS CE JOUR, POUR MOI TOUS LES WHISKYS ONT LE MÊME GOUT, JE PRÉFÈRE RESTER SEUL AVEC MON DÉSESPOIR.

APRÈS 41 ANS DE PRISON, HONORÉ DE LA HUJMUCNUSSE EST RELACHÉ. AYANT LU PENDANT SA DÉTENTION UN LIVRE INTITULÉ: "COMMENT TOUT VOLER À CARREFOUR" (EN 12 LEÇONS PAR CORRESPONDANCE), IL DÉCIDA DE FRAPPER UN GRAND COUP APRÈS AVOIR TÉLÉPHONÉ À L'AUTEUR DU BOUQUIN. CE DERNIER LUI DIT: "MAIS TU ES FOU? JE PLAISANTAIS MOI, DANS LE LIVRE, TOUT ÇA C'ÉTAIT POUR ME FAIRE DU FRIC MEC T'AS PAS COMPRIS? AH LE CON IL A RACCROCHÉ.

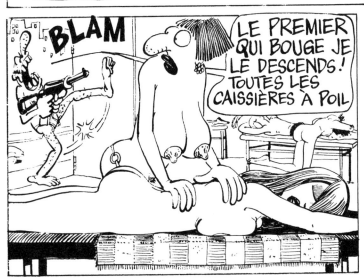

BLAM

LE PREMIER QUI BOUGE JE LE DESCENDS! TOUTES LES CAISSIÈRES À POIL

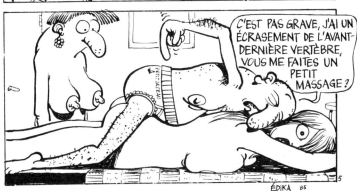

DITES À L'AIDE-COMPTABLE DE CARREFOUR DE VENIR ICI TOUT DE SUITE!

MAIS VOUS N'Y ÊTES PAS DU TOUT MONSIEUR, CARREFOUR C'EST LA PORTE À COTÉ

C'EST PAS GRAVE, J'AI UN ÉCRASEMENT DE L'AVANT-DERNIÈRE VERTÈBRE, VOUS ME FAITES UN PETIT MASSAGE?

ÉDIKA 85

LA BOITE MAGIQUE

29

PLUS JAMAIS ÇA !

DESSINATEURS ET DESSINEUSES DE B.D., POUR QUE PLUS JAMAIS ÇA, VOICI QUELQUES TRUCS (VÉCUS) POUR POUVOIR PLACER UNE BANDE DESSINÉE DANS LA REVUE FLUIDE GLACIAL SANS QUE DJACK DAYAMENTÉH NE S'APERÇOIVE DE RIEN ! TOUT CE QU'IL VOUS FAUT C'EST :

UNE BOUTEILLE DE PINARD

UN HAMBURGER.

UN MINI-TEL

1 kilo½ DE TOMATES

UN BÉRET IRAKIEN

UNE CITROËN BX BLEUE

UN IMPER IMITATION COLUMBO

UN APPAREIL PHOTO ASAHI PENTAX

UNE BOITE DE BOULES QUI EST-CE

UN POISSON ROUGE DANS UN BOCAL

PREMIÈRE ÉTAPE DE CE PLAN DÉMENTIEL : SURVEILLER TOUTES LES ENTRÉES ET SORTIES DE DJACK DAYAMENTÉH ET CECI PENDANT UNE PÉRIODE D'AU MOINS 5 MOIS. (PROGRAMMER LE TOUT SUR MINITEL)

FAIRE LE PLUS DE PHOTOS POSSIBLE

SHLAK SHLAK
SHLAK SHLAK
SHLAK SHLAK
SHLAK

C'EST ALORS QUE : BLAM !

DJACK DAYAMENTÉH ?

MONSIEUR DJACK DAYAMENTÉH

JE VOUS APPORTE MES BANDES DESSINÉES POUR LE PROCHAIN FLUIDE GLACIAL

PAS QUESTION, IL FAUT PRENDRE RENDEZ-VOUS UN AN À L'AVANCE ICI MON CHER, ET PAR LETTRE, DISPARAISSEZ DE MA VUE CHAROGNE

D'AILLEURS SI VOUS NE DÉBARRASSEZ PAS LA MOQUETTE AT OUNCE, JE ME FERAI UNE JOIE DE TE FOUTRE MOI-MÊME À TRAVERS LES CARREAUX

OW YEAH ? NOW LISTEN MAN AND LISTEN HARD, J'AI SUR MOI DES PHOTOS COMPROMETTANTES. SI VOUS N'ACCEPTEZ PAS DE VOUS PLIER À MES MOINDRES DÉSIRS JE QUOI ?!

DU CHANTAGE MAINTENANT ? À MOI ? DJACK DAYAMENTÉH ?

M'EN FOUS, JE

VOUS SAVEZ QUI JE SUIS ? ON VOUS A PAS PARLÉ DES HAUTES PERSONNALITÉS QUE JE FRÉQUENTE ? JUSTEMENT L'AUTRE JOUR IL Y AVAIT SHEILA À CARREFOUR ET ELLE M'A FAIT UNE DÉDICACE À MOI DJACK DAYAMENTÉH ! ÇA VOUS LA COUPE ÇA HEIN ?

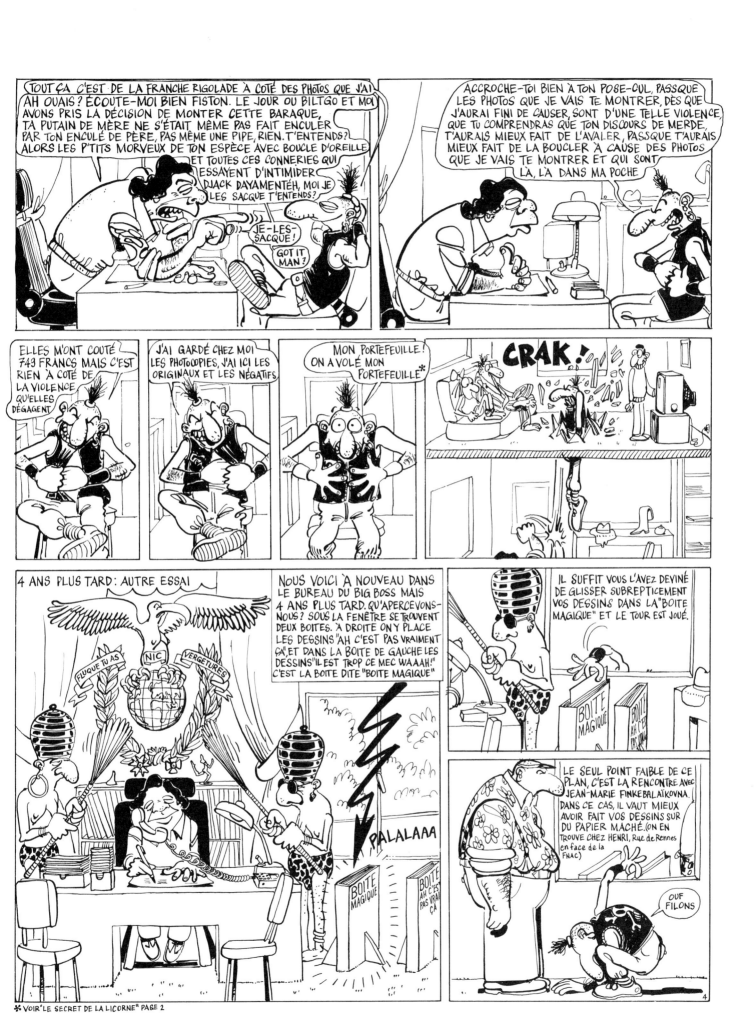

NOIR C'EST NOIR

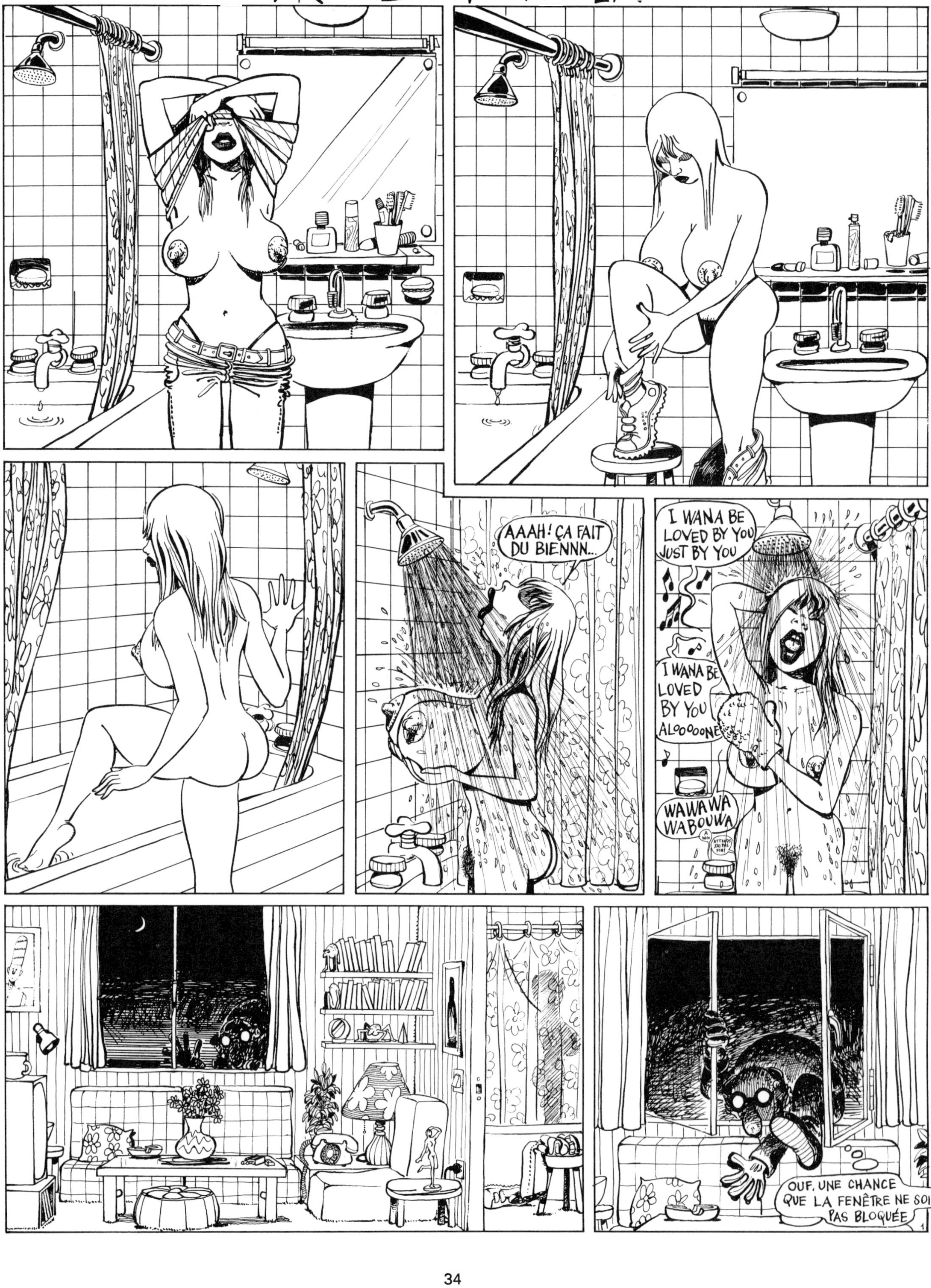

35

MAIS ENFIN JEUNE HOMME

FILONS VERS LA GLOIRE

HAW

JE VOUS AIME TOUS TAS DE CONS

DONC JE DIS HAW

AAAH! ET VOICI MESDAMES ET MESSIEURS NOTRE PEUT-ÊTRE FUTUR GAGNANT DU GRAND JEU DE CE SOIR, MAIS AVANT TOUTE CHOSE, NOUS L'APPLAUDISSONS BIEN FORT!

NOTRE GRAND JEU: 1er PRIX "UNE SOUPE POUR 5"

ET DONC LA PREMIÈRE QUESTION ANGOISSANTE QUE L'ON SE POSE EST: A-T-IL OUI OU NON GAGNÉ LE 1er PRIX QUI EST COMME NOUS LE SAVONS TOUS UNE? UNE?... MAIS BIEN SÛR "UNE SOUPE POUR 5" TOUTE NEUVE!!

AH NON UNE SUPER 5, VOUS M'AVIEZ DIT L'AUTRE JOUR AU TÉLÉPHONE QUE LE 1er PRIX C'ÉTAIT UNE SUPER 5 NEUVE

ALLEZ ALLEZ NE NOUS ARRÊTONS PAS À DES DÉTAILS ET PASSONS À LA PROCHAINE ÉTAPE

ÇA PRÊTE À CONFUSION

UNE SOUPE POUR 5

1er PRIX

AH J'SUIS PAS D'ACCORD VOUS M'AVIEZ DIT

NOTRE SYMPATHIQUE FUTUR GAGNANT, NOUS A-T-IL RAPPORTÉ LES 5 OBJETS DEMANDÉS QUE NOUS ALLONS PROBABLEMENT DÉCOUVRIR EN DIRECT?

VOYONS VOIR

AHAA

BOWOH, MOI CH'PRÉFÈRE UNE SUPER 5

AH J'JODES PLUS MOI

OH LUI EH

AHA! UN ROBINET ON APPLAUDIT!

C'EST CHIANT MEEERDE

UN ACCOUDOIR ON APPLAUDIT

UN DEMI TABOURET ON APPLAUDIT

UN PANTALON ON APPLAUDIT

UN... UN... C'EST QUOI ÇA?

BEN... UN ZÈBRE À PATINS COMME VOUS AVIEZ DEMANDÉ

UN Z...

MAIS NONNN, UN TIMBRE CANADIEN, PAS UN ZÈBRE À PATINS, AU TÉLÉPHONE JE VOUS AVAIS BIEN PRÉCISÉ UN TIMMMBRE CA-NA-DIEN

UN ZÈBRE EN SHORT?

MAIS T'ES CON OU QUOI

UN TIMBRE UN TIMMMBRE

ÉDIKA

CE MERCREDI-LÀ...

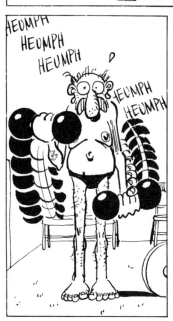

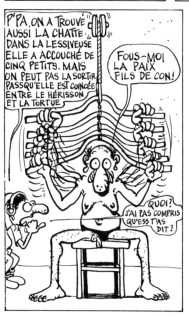

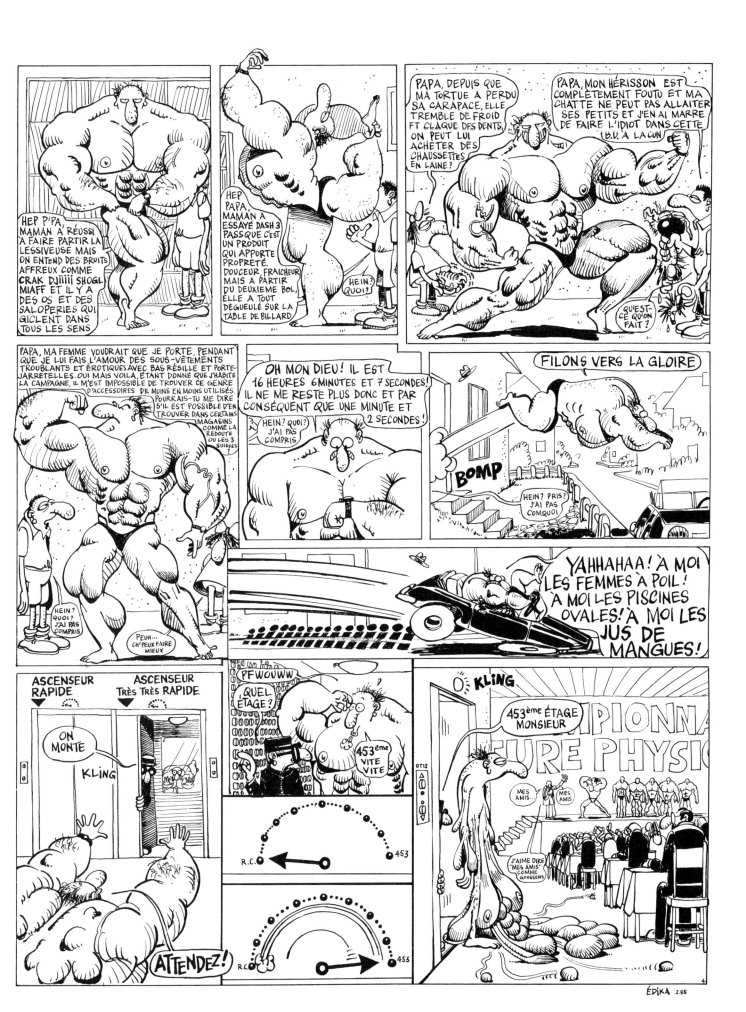

43

ÉTOURDERIES

ET VOICI MAINTENANT MESDAMES ET MESSIEURS LA COMPÉTITION DU SAUT À LA PERCHE. CE SPORT DIFFICILE DEMANDE DE LA PART DU SAUTEUR UNE GRANDE FACULTÉ DE CONCENTRATION, C'EST POURQUOI JE VOUS DEMANDERAI UN PEU DE SILENCE, AH! J'ENTENDS UN TYPE QUI PARLE LÀ-BAS.

VA-T-IL DÉPASSER LA HAUTEUR DE 9 MÈTRES? HEIN? VA-T-IL DÉPASSER LES 9 MÈTRES? MM? POURQUOI PERSONNE NE ME RÉPOND?

KEUHHHHH...

AU LANCEMENT DU MARTEAU, JOHN MAC O'NEIL REPRÉSENTANT LA SIBÉRIE ORIENTALE VA LANCER LE MARTEAU.

IL FAUT QUE JE TROUVE DES PHRASES PLUS RICHES, JE SENS QUE LES SPECTATEURS S'ENNUIENT

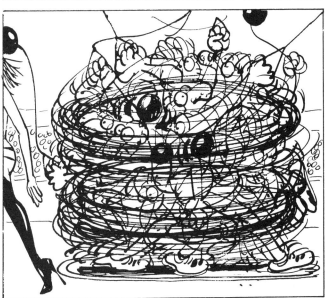

PASSE-MOI MES JUMELLES. — TES JUMELLES ? QU'EST-CE QUE TU VEUX QUE JE FOUTE DE TES JUMELLES ?
— HEP — OUI ? — T'AS PAS VU MES JUMELLES ?
— TES JUMELLES ? AH NON J'AI PAS VU TES JUMELLES.
— JE PEUX BAISER TA FEMME ?
— PARDON ?
— NON RIEN.

— QUELQU'UN A VU MES JUMELLES ?

AHAA J'AI TROUVÉ MES JUMELLES. NOUS VOICI DONC EN PRÉSENCE DE HABIB O'CCONOR, LE JOUEUR DE GOLF LE PLUS NUL DE TOUTE L'HISTOIRE DES JEUX OLYMPIQUES ET DANS LES ANNALES.

CE TYPE EST NUL MAIS NUL!

MERDE! QUELQU'UN A VU MES JUMELLES?

TOB

PASSONS MAINTENANT À UN SPORT MOINS VIOLENT. À GAUCHE NOUS REMARQUONS LE CATCHEUR SUÉDOIS ANTONIO DI NAPOLI STÉPHANO DI VA FANCOULO.

ET À DROITE VOUS AVEZ CERTAINEMENT TOUS RECONNU LE CHAMPION DE BILLARD ALLEMAND KOSS OMMAK AKHOU CHARMOUTA BÉDDI NIQUE OMMAK

NON NON

PAS ÇA

PAS ÇA

HIGN

COMME VOUS L'AVEZ TOUS REMARQUÉ, NOUS SOMMES DÉJÀ À LA TROISIÈME PAGE DE CETTE BANDE DESSINÉE ET RIEN NE PEUT LAISSER SUPPOSER QUOI QUE CE SOIT WAHHAHA, VOUS AVEZ COMPRIS LE JEU DE MOTS?

ARRÊTE, JE SUIS UN ANCIEN PIANISTE

AÏE AÏE

3

BON, NOUS RETROUVONS DONC LE PLONGEUR GOOSSENS, AU-DESSUS DE SON TREMPLIN À 10 METRES DE HAUTEUR.

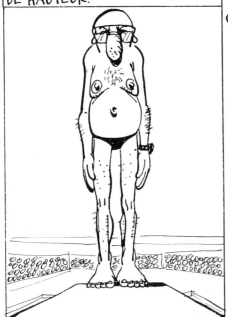

IL VA DONC ESSAYER UN TRIPLE SAUT ARRIÈRE BACK SAMEURT SOLTE AVEC EXTENSION DES TENDONS D'ACHILLE ET PLIAGE DU GRAND PHALLUS.

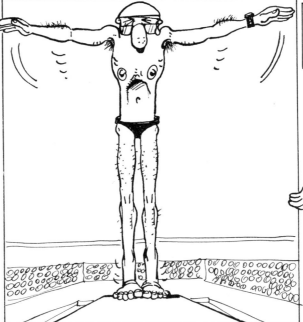

ET TOUT EN GARDANT L'ORBICULAIRE DES LÈVRES À PLAT, QUOIQUE L'ARCADE VEINEUSE DORSALE DU PIED DOIT RESTER OBLIQUE, MAIS CHUT, ADMIRONS ENSEMBLE CE PHÉNOMÈNE DE LA VOLTIGE.

CHHHT CHHE CHHH

HEUMPH

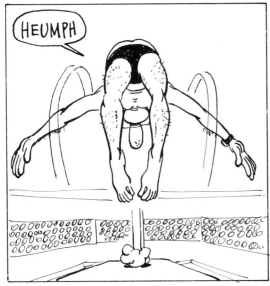

MMMM...

YAY

ATTENDEZ, NON NON PAS COMME ÇA, FAITES D'ABORD PASSER SON GENOU SOUS SON MENTON, MAIS QU'EST-CE QUE VOUS FAITES ?! VOULEZ-VOUS LÂCHER ÇA TOUT DE SUITE! C'EST MON COUDE, OUI OKAY C'EST BON LÀ, PASSEZ-MOI MAINTENANT SON DOIGT, MAIS NON, ÇA C'EST SON PHALLUS, SIMONE ARRÊTEZ DE VOUS MASTURBER ET DÉPLIEZ SON ŒIL

URGENCES

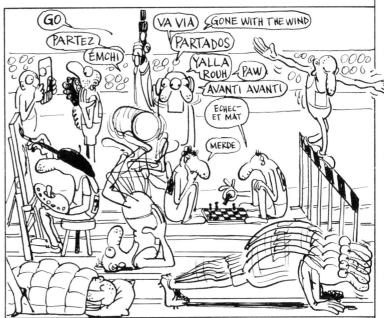

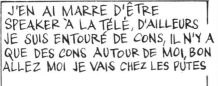

- MERDE T'AS PAS VU GÉROME ?
- GÉROME ? AH NON J'AI PAS VU GÉROME POURQUOI ?
- COMMENT ÇA POURQUOI, C'EST LUI QUI DOIT COMMENTER LES ANNEAUX ET ON LE TROUVE NULLE PART
- VA TE FAIRE FOUTRE
- POURQUOI TANT DE HAINE ?

NE VOUS EN FAITES PAS, JE VOUS AIME

OUF

27èmes JEUX OLYMPIQUES D

DOGODO GODOGODO

DAGADADO GODOGODO

DAGADAGADA

HEP

OUI ? WAAAH !

PARDON ?

NON JE DISAIS WAH

WAH ? QUOI WAH ?

BEN WAH QUOI WAH

CA VOUS FAIT RIEN QUAND JE FAIS WAH EN VOUS MONTRANT MES SEINS PULPEUX ?

COMMENT ÇA JE COMPRENDS PAS

BEN VOUS VOYEZ LA PAGE EN FACE ? EH BEN CHAQUE FOIS QUE JE PASSAIS DEVANT UN MEC, IL DÉCONNAIT TOUT ÇA

AH BONNN

VOYONS VOIIIIIR

QU'EST-CE QUE JE PEUX VOUS FAIIIIRE ?

OH ET PUIS NON, JE VAIS RESTER COMME ÇA SANS RIEN FAIRE ALLEZ HOP MOI J'AI ENVIE DE RESTER COMME ÇA

OUI, MOI AUSSI

TSHAW

TSHAW

ÉDIKA 1.85

51

les albums FLUIDE GLACIAL

DU MÊME AUTEUR :
- DEBILOFF PROFONDIKOUM
- HOMO-SAPIENS CONNARDUSS
- YEAH !
- ABSURDOMANIES
- SKETCHUP
- DESIRS EXACERBÉS
- HAPPY-ENDS
- TSHAW !

Editions AUDIE 120 bis, bd du Montparnasse 75014 Paris. Tél. : 43.20.23.96
Imprimé par A.C.R.I., 50, rue Damrémont 75018 Paris. Tél. 42.64.61.87 en septembre 1986. Numéro d'imprimeur : 297.
Dépôt légal : septembre 1986. ISBN 2-85815-100-8. 1re édition.

LIBRAIRIES, COMMANDES EN GROS : MESSAGERIES DU LIVRE - 8, rue Garancière 75006 PARIS - Tél. : (1) 46.34.12.80, et les agences régionales idées PRESSES DE LA CITE.